TREF HYNAF CYMRU

CAERFYRDDIN

CARMARTHEN

THE OLDEST TOWN IN WALES

ARCHAEOLEG
CAMBRIA
ARCHAEOLOGY

Geiriau gan Gwilym Hughes.
Darluniau adluniau a mapiau gan Neil Ludlow
oni bai y nodir yn wahanol.
Cyhoeddwyd gan Archaeoleg Cambria 2006 gyda
grantiau o Gyngor Sir Caerfyrddin a Cadw.
Dylunio gan MO-design.
ISBN 0-948262-06-0 / ISBN 978-0-948262-06-7

Text by Gwilym Hughes.
Reconstruction drawings and maps by Neil Ludlow
unless otherwise stated.
Published by Cambria Archaeology 2006 with grants
from Carmarthenshire County Council and Cadw.
Design by MO-design.
ISBN 0-948262-06-0 / ISBN 978-0-948262-06-7

Caerfyrddin yw tref hynaf Cymru. Mae'r dref gyfan yn dystiolaeth i ddwy fil o flynyddoedd o'i hanes, trwy ei strydoedd a lonydd cul, afonydd a nentydd, adeiladau a gweddillion archaeolegol claddedig.

Mae'r llyfryn hwn yn dilyn hanes Caerfyrddin o'i darddiad fel caer a thref Rufeinig. Mae hefyd yn disgrifio tyfiant y ddau anheddiad canoloesol, Caerfyrddin Hen a Newydd rhwng 1100 a 1500 AD, tan ei ddatblygiad ôl-ganoloesol ar ôl 1500. Dengys sut y gellir defnyddio dogfennaeth hanesyddol a mapiau, tystiolaeth archaeolegol a chynllun stryd cyfoes i gyfoethogi ein gwybodaeth am orffennol Caerfyrddin.

Mae Caerfyrddin yn dref gyfoes, fyrlymus sy'n parhau i dyfu a newid, ac mae'r ffaith ei bod wedi medru gwneud hyn gydol ei hanes yn brawf o'i llwyddiant. Mae rheoli'r newid hwn yn her i'w chynllunwyr a'i thrigolion. Gofyn am gydbwysedd rhwng gwarchod yr agweddau hanesyddol sy'n nodweddiadol o gymeriad y dref a'r rheidrwydd i ddatblygu er lles dyfodol ei thrigolion.

Yn 2004, dyfarnodd Cyngor Sir Caerfyrddin a Cadw nawdd i Archaeoleg Cambria baratoi arolwg tref hanesyddol manwl. Y nod oedd darparu fframwaith ar gyfer datblygiad cynaliadwy o fewn hinsawdd hanesyddol y dref, ac i gynorthwyo i ddiogelu ei threftadaeth hanesyddol ac archaeolegol unigryw. Mae'r llyfryn hwn yn grynodeb hanesyddol o'r arolwg manylach hwn. Tynna sylw at werth y gorffennol fel arf i'r dyfodol, a disgrifia sut y gellir ei amddiffyn.

Ffotograffau: Ray Edgar Photographs: Ray Edgar

Carmarthen is Wales' oldest town. The physical evidence of two thousand years of history is preserved in the layout of the town, its streets and alleyways, rivers and streams, buildings and buried archaeological remains.

This booklet follows the story of Carmarthen from its origins as a Roman fort and town. It then describes the growth of the two medieval settlements of Old and New Carmarthen between AD 1100 and 1500, to its Post Medieval expansion after 1500. It demonstrates how historical documentation and maps, archaeological evidence and the modern street plan can be used to build our knowledge of Carmarthen's past.

Carmarthen is a modern, vibrant town that continues to grow and change. That it has done so throughout its history, is testament to its success. The management of this change is a challenge to both planners and residents. It requires a balance between the protection of the historic fabric of the town that gives Carmarthen its distinctive character and the demands of development for the future benefit of its citizens.

In 2004, Carmarthenshire County Council and Cadw grant-aided Cambria Archaeology to prepare a detailed historic town survey. The aim was to provide a framework for sustainable development within the town's historic environment, and to help secure the future of its irreplaceable archaeological and historical heritage. This booklet is a historical summary of this more detailed survey. It highlights the value of the past as an asset for the future and describes how it can be protected.

Cynnwys

Contents

CAERFYRDDIN RHUFEINIG - MORIDUNUM
ROMAN CARMARTHEN - MORIDUNUM

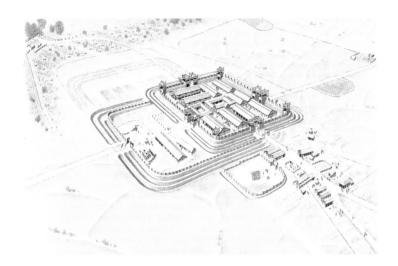

Chwith: Darlun artist o Gaer Rufeinig y ganrif gyntaf yn Llandeilo. Efallai bod Caerfyrddin wedi edrych yn debyg i hyn.
Isod: Darlun artist o Fryn Myrddin yn ystod Oes yr Haearn.

Left: An artist's impression of the first century Roman Fort at Llandeilo. Carmarthen may have looked similar to this. Below: An artist's impression of Merlin's Hill during the Iron Age.

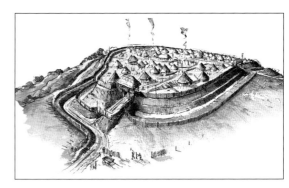

Y GAER

Mae nifer o fryngaerau yn yr ardal o gwmpas Caerfyrddin sy'n dyddio i Oes yr Haearn ddiweddarach (300CC i 70AD). Y mwyaf adnabyddus ohonynt yw bryngaer drawiadol Bryn Myrddin, a saif tua 4km i'r dwyrain o'r dref. Efallai iddo fod yn ganolbwynt grym i'r *Demetae*, yr enw a roddwyd i lwythi Celtaidd gorllewin Cymru. Efallai i'r fyddin Rufeinig gael un llygad ar y fryngaer hon wrth sefydlu safle milwrol ar lan ogleddol yr afon Tywi yn fuan wedi goresgyn gorllewin Cymru yng nghanol y 70au AD.

Mae cloddfeydd archaeolegol diweddar wedi dangos bod y gaer hon wedi ei lleoli yn ardal Heol y Brenin / Heol Spilman. Gallai mintai o tua 500 o filwyr fod yn y gaer a oedd yn llunio rhan o rwydwaith o gaerau a heolydd milwrol a sefydlwyd i atgyfnerthu grym y Rhufeiniaid trwy Gymru. Ymddengys i'r gaer gael ei lleihau ar ddiwedd y ganrif gyntaf. Cefnwyd arni'n llwyr yn gynnar yn yr ail ganrif wrth i'r fyddin ildio i reolaeth sifil Rufeinig.

Darn arian Rhufeinig yn dangos yr Ymerawdwr Vespasian. Mae'n debyg i'r gaer ym Moridunum gael ei sefydlu yn ystod ei deyrnasiad.

A Roman coin showing the Emperor Vespasian. The fort at Moridunum was probably established during his reign.

THE FORT

There are a number of hillforts in the area around Carmarthen dating to the later Iron Age (300BC to AD70). The best known is the impressive hillfort of Merlin's Hill, which lies just 4km to the east of the town. It may have acted as a centre of power for the *Demetae*, the name given to the Celtic tribes of west Wales. The Roman army may have had one eye on this hillfort when they established a military base on the north bank of the river Tywi soon after the conquest of west Wales in the mid 70s AD.

Recent archaeological excavation has established that this fort was located in the King Street/Spilman Street area. The fort may have held a small garrison of some 500 troops and it formed part of a network of forts and military roads established to consolidate Roman power throughout Wales. The size of the fort appears to have been reduced at the end of the first century. Early in the second century it was abandoned altogether as the military gave way to Roman civilian rule.

Awyrlun o ddwyrain Caerfyrddin. Gellir gweld amlinelliad petryal yr amddiffynfeydd yn amgylchynu'r cyn dref Rufeinig yng nghynllun y strydoedd modern (cyfeirir atynt â saethau)

An aerial view of eastern Carmarthen. The rectangular outline of the defences surrounding the former Roman town can be clearly seen in the layout of modern streets (indicated by arrows).

Y DREF RUFEINIG

Dilynwyd y gaer Rufeinig gan un o'r unig ddwy dref Rufeinig yng Nghymru. Y llall oedd Caerwent yn ne-ddwyrain Cymru. Fodd bynnag, yn wahanol i Gaerwent, parhaodd Caerfyrddin fel anheddiad ar ôl y cyfnod Rhufeinig. O ganlyniad, gellir ei galw yn dref hynaf Cymru, gydag anheddiad parhaus o bron i ddwy fil o flynyddoedd. Mae'n debyg y rhoddwyd yr enw Lladin Moridunum ar y gaer ac y'i trosglwyddwyd yn ddiweddarach i'r dref. Golyga'r enw hwn caer-fôr a dardda o'r geiriau Celtaidd mori (môr) a dunos (caer).

Daeth y dref Rufeinig yng Nghaerfyrddin yn civitas neu ganolbwynt llwythol ar gyfer de-orllewin Cymru. Yng nghanol yr 2il ganrif AD fe'i datblygodd patrwm stryd sgwarog wedi ei gynllunio ar brif heol o'r gorllewin i'r dwyrain. Yn fras, roedd y stryd hon lle mae Heol y Prior heddiw. Yn ddiweddarach, darparwyd amddiffynfeydd sylweddol, er y tybir bod y rhain yn fwy o ddatganiad o hunan-falchder nag anghenraid milwrol. Oherwydd i'r amddiffynfeydd hyn gael eu defnyddio'n ddiweddarach fel terfynau eiddo, gellir gweld amlinelliad petryal Caerfyrddin Rhufeinig yn y cynllun stryd cyfoes heddiw.

THE ROMAN TOWN

The Roman fort was succeeded by one of only two Roman towns in Wales, the other being Caerwent in southeast Wales. However, unlike Caerwent, Carmarthen continued to be occupied after the Roman period. Therefore, it can claim to be the oldest town in Wales, with a continuous occupation of nearly two thousand years. The Romanised name, Moridunum was probably given to the fort and then later transferred to the town. The name means sea-fort and derives from the Celtic words mori (sea) and dunos (fort).

The Roman town at Carmarthen became the civitas or tribal capital for southwest Wales. In the mid 2nd century AD it was provided with a gridded, planned street layout based on a main east-west road. This road was roughly on the line of the modern Priory Street. Later still the town was provided with substantial defences, although it is thought that these were more a statement of civic pride than a military necessity. Because these defences were later reused as property boundaries, the rectangular outline of Roman Carmarthen can still be seen in the modern street plan.

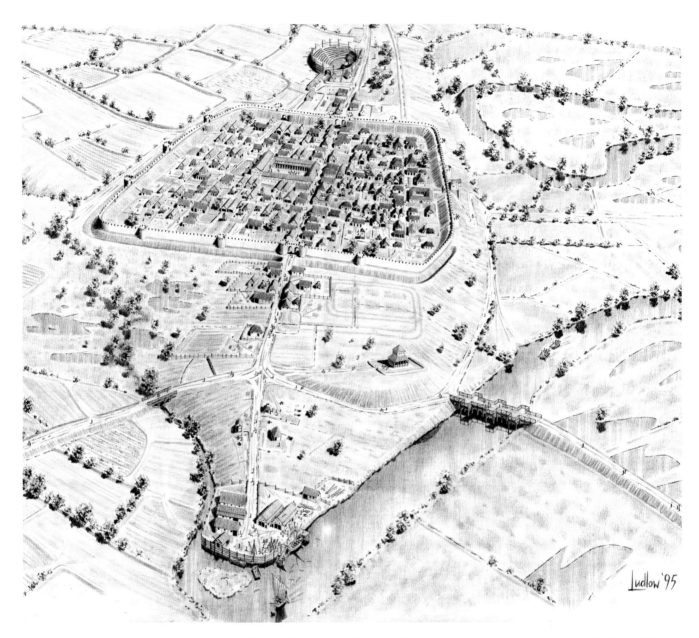

Darlun gan Neil Ludlow o'i argraffiadau o Gaerfyrddin o'r de-orllewin, fel y gallai fod wedi ymddangos yn ystod y drydedd ganrif AD.
Mae'r adluniad yn seiliedig ar nifer o gloddfeydd archaeolegol a wnaed yn y dref. Byddai'r adeiladau dinesig, yn cynnwys y fforwm, wedi
eu lleoli yn ardal ganolog y dref. Byddai'r amffitheatr a'r mynwentydd y tu allan i glwyd y gogledd-ddwyrain. Gwelir cynllun y gaer
gynharach o'r ganrif gyntaf i'r de-orllewin o'r dref. Awgrymir i'r porthladd a'r bont (gyda'i dŵr gwylio) gael eu lleoli mewn mannau tebyg
i'r rhai tebyg canoloesol yn ddiweddarach.
Atgynhyrchir y darlun gyda chaniatâd caredig Gwasanaeth Amgueddfa Sir Gaerfyrddin.

This drawing by Neil Ludlow is his impression of Carmarthen from the southwest as it may have appeared during the third
century AD. The reconstruction is based on the many archaeological excavations that have been undertaken in the town. The
civic buildings, including the forum, would have been located in the central area of the town. The amphitheatre and cemeteries
lay outside the northeast gate. The plan of the earlier first century fort can be seen to the southwest of the town. It is suggested
that the defended port and bridge (with its watchtower) were located in similar positions to their later medieval equivalents.
The drawing is reproduced with the kind permission of the Carmarthenshire County Museum Service.

Yr amffitheatr yw'r unig gofeb Rufeinig uwchlaw'r ddaear sydd wedi goresgyn yng Nghaerfyrddin. Adnewyddwyd mur a llwybr yr arena yn y blynyddoedd diweddar. Llun: Ray Edgar

The amphitheatre is the only surviving above-ground Roman monument in Carmarthen. The arena wall and passage have been reconstructed in recent years. Photograph: Ray Edgar

BYWYD A MARWOLAETH Y TU ALLAN I'R MURIAU RHUFEINIG

Adeiladwyd amffitheatr i'r gogledd-ddwyrain o'r dref wrth ymyl y ffordd Rufeinig yn arwain drwy Ddyffryn Tywi. Roedd hyn yn symbol o statws ac mae'n debyg iddo gael ei ddefnyddio at sawl pwrpas yn cynnwys gêmau, gorymdeithiau a hyd yn oed gwyliau crefyddol. Byddai wedi bod yn ganolbwynt i'r ardal gyfagos yn ogystal â thref Caerfyrddin ei hun. Yn 2001 darganfuwyd dwy gladdfa amlosgiad Rhufeinig mewn gwahanol leoliadau y tu allan i'r amddiffynfeydd Rhufeinig. Mae hyn yn ein hatgoffa bod dylanwad y dref yn ymestyn y tu hwnt i'w muriau.

LIFE AND DEATH OUTSIDE THE ROMAN WALLS

An amphitheatre was built to the northeast of the town alongside the Roman road leading up the Tywi Valley. This was a mark of status and it was probably used for a variety of purposes including games, parades and even religious festivals. It would have served as a focus for the region around Carmarthen as well as the town itself. In 2001 two Roman cremation burials were recovered at different locations outside the Roman defences. This reminds us that the impact of the town extended well beyond its walls.

Rhoddwyd lludw'r amlosgiad Rhufeinig hwn mewn wrn-gladdu o grochenwaith wrth ochr dwy lamp o grochenwaith. Darganfuwyd y claddiad gan weithwyr y Cyngor yn 2001 yn Allt-y-cnap, 2km i'r de-orllewin o'r dref. Llun: Gwasanaeth Amgueddfa Sir Gaerfyrddin.

This Roman cremation burial had been placed in a pottery jar alongside two pottery lamps. The burial was found by Council workers in 2001 at Allt-y-cnap, 2km southwest of the town. Photograph: Carmarthenshire County Museum Service.

2001

Wrn amlosgiad Rhufeinig a ddarganfuwyd yn ystod cloddiad Park Hall, Caerfyrddin yn 2001.

A Roman cremation urn found during an excavation below Park Hall, Carmarthen in 2001.

Y Rhufeiniaid o dan ein traed

Daw llawer o'r dystiolaeth am Gaerfyrddin Rufeinig o weddillion claddedig archeolegol, ac mae nifer o gloddfeydd wedi cael eu gwneud yn y dref Rufeinig. Mae'r rhain yn cynnwys cloddfeydd gan yr Athro Barri Jones ym maes parcio San Pedr yn y 1960au a gan Archaeoleg Cambria yn Heol yr Eglwys yn y 1970au. Gwnaed cloddfeydd ar raddfa eang ar ochr ogleddol Stryd y Prior yn y 1980au, cyn adeiladu

Ysgol Gynradd Richmond Park. Dengys y rhain i ni fod adeiladau'r ardal yma o'r dref wedi eu gwneud o bren a phridd. Roeddent yn gymharol syml eu cynllun ac fe'u defnyddiwyd gan amlaf fel siopau a gweithdai, ac ar gyfer busnesau coginio a gwaith haearn. Adeiladwyd tai yn rhannol o garreg ar y safle yn y drydedd ganrif, ac fe barhawyd i'w ddefnyddio a'i adnewyddu am o leiaf 150

mlynedd, ac ymhell i'r bedwaredd ganrif. Mae'r holl wybodaeth yma wedi ei ddarganfod trwy gloddfeydd gofalus o olion sylfeini adeiladau a ffosydd sy'n eistedd o dan wyneb y tir. Yn anffodus, mae tai, busnesau a datblygiadau diwydiannol ysgafn yn ystod y 19eg a'r 20fed ganrif wedi dinistrio llawer o'r dystiolaeth yma. Mae'r ychydig sy'n weddill yn unigryw, ac mae angen ei ddiogelu'n ofalus.

Dengys y llun sylfeini cloddedig un o adeiladau ardal Ysgol Richmond Park. Dengys y darlun argraffiadau darlunydd o sut gallai'r adeilad fod wedi edrych yn ystod y drydedd ganrif.

The photograph shows the excavated foundations of one of the buildings in the area of Richmond Park School. The drawing shows an artist's impression of what the building may have looked like during the third century.

1983

The Romans Beneath Our Feet

Much of the evidence about Roman Carmarthen comes from buried archaeological deposits. A number of excavations have been undertaken in the Roman town. These have included excavations by Professor Barri Jones in St. Peter's car park in the 1960s and by Cambria Archaeology in Church Street in the 1970s. Major excavations were carried out in the 1980s on the north side of Priory Street, prior to the

building of the Richmond Park Primary School. These have told us that between AD 150 and AD 200 the buildings in this area of the town were of earth and timber. They were relatively simple in plan and were mainly used as shops and workshops; trades included baking and iron smithing. In the third century a much more elaborate part stone-built house was constructed on the site. This remained in use with many

alterations for at least 150 years and well into the fourth century. All this information has been recovered from the very careful excavation of the traces of foundations and ditches that often lie just below the surface. Unfortunately, housing, retail and light industrial developments in the 19th and 20th century have destroyed much of this evidence. What little remains is unique and needs to be carefully protected.

CAERFYRDDIN GANOLOESOL

MEDIEVAL CARMARTHEN

CAERFYRDDIN GANOLOESOL GYNNAR

Roedd y cyfnod yn dilyn ymadawiad y llengoedd Rhufeinig, rhwng y 5ed a'r 8fed ganrif, o bwysigrwydd tyngedfennol i'r iaith Gymraeg, ardaloedd brodorol Cymraeg a datblygiad Cymru fel gwlad Gristnogol.

Yng Nghaerfryddin mae'n bosib bod gan Eglwys San Pedr wreiddiau cyn-Normanaidd. Gwelir bod yr Eglwys wedi ei lleoli yn agos at y glwyd orllewinol o fewn y cyn dref Rufeinig. Yn bellach i'r dwyrain, ceir tystiolaeth o anheddiad mynachaidd cynnar yn dyddio yn ôl i'r 8fed neu'r 9fed ganrif, ac efallai yn gynt na hynny. Roedd hyn yn eistedd y tu allan i'r muriau Rhufeinig mewn ardal a allai fod wedi bod yn fynwent Rufeinig. Yn ddiweddarach, daeth yn safle priordy canoloesol Sant Ioan a Sant Teulyddog. Yn 1979, darganfuwyd dyddiadau radio carbon o'r 8fed ganrif mewn cloddfeydd yn ardal Priordy Sant Ioan. Mae'n debygol y gallai meddiannaeth mewn gwahanol rannau o Gaerfyrddin fod wedi parhau drwy'r canrifoedd rhwng diwedd teyrnasiad y Rhufeiniaid a dyfodiad y Normaniaid yn 1093.

Roedd dylanwad sefydliadau Gwyddelig yn amlwg yng ngorllewin Cymru yn y blynyddoedd cynnar yn dilyn rheolaeth y Rhufeiniaid. Mae rhai cerrig wedi eu cerfio yn cynnwys manylion dwyieithog mewn Lladin a'r arysgrif ogam Wyddelig. Mae cerfiadau eraill, megis y garreg Clutorix yn awgrymu i'r elît gwleidyddol barhau i hawlio etifeddiaeth yr awdurdod Rhufeinig.

Y Garreg Clutorix yn Eglwys Plwyf Llandysilio sy'n nodi 'Clutorigi fab Paulinus Marinus o Latium'. Latium yw enw'r ardal o amgylch Rhufain, ond gallai hwn hefyd gyfeirio at unigolyn oedd efallai wedi dysgu ei Ladin yn ysgolion Moridunum.

The Clutorix Stone in Llandysilio parish church records 'Clutorigi son of Paulinus Marinus from Latium'. Latium is the name of the region around Rome, but this inscription may refer to an individual who perhaps learnt his Latin in the schools onewf Moridunum.

O bosib fod gan Eglwys San Pedr wreiddiau o ddechrau'r oesoedd canol. Llun: Ray Edgar.

St Peter's Church may have had an early medieval origin. Photograph: Ray Edgar

EARLY MEDIEVAL CARMARTHEN

The period following the departure of the Roman legions, from the early 5th century to the 8th century, was of crucial importance in the emergence of the Welsh language, of native Welsh kingdoms and in the development of Wales as a Christian country.

It is possible that St Peter's church has an early pre-Norman origin. It is noticeable that the church is located within the former Roman town close to its west gate. Further east, there is evidence for an early monastic settlement dating to the 8th or 9th century and possibly earlier. This lay outside the Roman walls in an area that may have originally been a Roman cemetery. It was later to become the site of the medieval priory of St John and St Teulyddog. In 1979, excavated ditches in the area of St John's Priory produced 8th century radiocarbon dates. It may well be that occupation in different parts of Carmarthen continued throughout the centuries between the end of Roman rule and the arrival of the Normans in 1093.

The influence of Irish settlement in west Wales was notable in the early years following Roman rule. Some early sculptured stones contain bilingual inscriptions using Latin and the Irish Ogam script. Other inscriptions, such as the Clutorix stone, suggest that the political elite continued to make a claim to the inheritance of Roman authority.

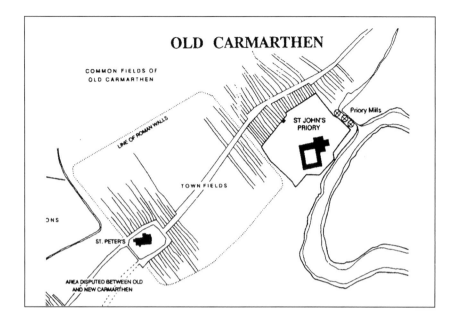

Cynllun o Hen Gaerfyrddin yn 1300 yn dangos caeadle'r Priordy a'r melinau.

A plan of Old Carmarthen in 1300 showing the Priory precinct and the mills.

CAERFYRDDIN GANOLOESOL

Fe wnaeth y Normaniaid ddiogelu'r tiroedd a wnaethant oresgyn oddi wrth yr arglwyddi brodorol Cymreig, trwy adeiladu a sefydlu trefi a boblogwyd gan fewnfudwyr. Serch hyn, nid un dref oedd Caerfyrddin y canoloesoedd, ond dwy. Roedd y dref newydd Normanaidd i'r gorllewin, ac roedd yn ardal frenhinol wedi ei hamddiffyn gan ei chastell. Rheolwyd Hen Gaerfyrddin, a leolwyd yn ardal flaenorol y dref Rufeinig, gan Briordy Caerfyrddin ac roedd yn bennaf Gymreig ei chymeriad.

HEN GAERFYRDDIN

Roedd Priordy Caerfyrddin, ym mhegwn dwyreiniol Heol y Prior, yn un o'r cyfoethocaf yng Nghymru ac yn ganolbwynt pwysig i fywyd diwylliannol Cymraeg. Darganfuwyd lleoliad Eglwys y Priordy ac adeiladau eraill mewn cloddiad yn 1979. Serch hyn, mae'r rhan helaeth o'r Priordy o fewn ffiniau'r caeadle heb gael eu harchwilio. Roedd gan y Priordy dair melin wedi eu pweru gan gwrs dŵr yn deillio o'r Gwili, sef un o lednentydd yr Afon Tywi.

Rhoddwyd Hen Gaerfyrddin i'r Priordy gan siarter Harri II. Canolwyd y dref ger y Priordy a chyffordd Lôn yr Hen Dderwen a Heol y Priordy gydag aneddiadau eraill o amgylch San Pedr. Efallai iddo gynnwys tua 100 o gartrefi.

MEDIEVAL CARMARTHEN

The Normans secured their lands, conquered from the native Welsh lords, by building castles and founding towns, populated by incomers. However, medieval Carmarthen was two towns not one. The new Norman town lay to the west; it was a royal borough, protected by its castle. Old Carmarthen, which was located in the former area of the Roman town, was ruled by Carmarthen Priory and was largely Welsh in character.

OLD CARMARTHEN

Carmarthen Priory, at the eastern end of Priory Street, was one of the richest in Wales and an important centre of Welsh cultural life. Excavation in 1979 revealed the position of the Priory Church and other buildings. However, the greater part of the Priory, within the boundaries of its precinct, remains unexplored. The Priory had three mills powered by a watercourse originating from the Gwili, a tributary of the River Tywi.

The Priory was given Old Carmarthen by a charter of Henry II. The town was centred near the Priory and the junctions of Old Oak Lane and Priory Street with other settlement around St Peter's. It may have comprised 100 households.

Ffynonellau Dŵr a Phŵer Dŵr

Mae'r astudiaeth o gyrsiau dŵr, gwteri a charthffosydd yn rhan hollbwysig o hanes y dref ac yn ganolog i astudiaeth yr archaeolegydd. Nid yn unig bod angen dŵr ar gyfer y cartref yn y canoloesoedd, ond roedd hefyd yn darparu ffynhonnell bŵer bwysig ar gyfer y melinau a'r tanerdai, ac roedd hyn yn gofyn am orchestion peirianyddol sylweddol.

Roedd cyrsiau dŵr neu ffrydiau canoloesol yn tarddu o nentydd y Wynveth a'r Tawelan, ac mae'n bur debygol bod y nifer o felinau a nodweddion dŵr a ddaeth o'r ffrydiau hyn wedi goroesi fel gweddillion archaeolegol.

Yn hanesyddol, roedd cyflenwad dŵr y cartref yn cael ei ddarparu gan ffynhonnau a oedd wedi eu cloddio i lawr at y tabl dŵr cyfnewidiol a sianelau'r dref, sy'n cael eu cofio mewn enwau megis "Conduit Lane". Mae cronfeydd dŵr Cwmoernant yn atgof o ymgeision mwy diweddar i reoleiddio cyflenwad dŵr y cartrefi.

Rhan sydd wedi goroesi o'r ffrwd o dan Ysbyty Glangwili, a arferai gyflenwi tair melin Priordy Caerfyrddin yn wreiddiol. Fe'i defnyddiwyd yn ddiweddarach i bweru ffwrnais chwyth Robert Morgan, a adeiladwyd ar safle'r Priordy yn 1747, a melinau tun y 18fed a'r 19eg ganrif. Mae'r gweddillion sydd wedi goroesi o'r cwrs dŵr hwn, sy'n dyddio yn ôl i'r 13eg ganrif, yn agored iawn i dresmasiad tameidiog a datblygiadau.

Surviving part of the leat below Glangwili hospital that originally supplied the three mills of Carmarthen Priory. It was later used to power Robert Morgan's blast furnace, built on the site of the Priory in 1747, and the 18th and 19th century tin mills. The surviving remains of this watercourse, that date to at least the 13th century, are very vulnerable to piecemeal encroachment and development.

Water Sources and Water Power

The study of watercourses and culverts, drains and sewers is a vital aspect of the town's history and very much the province of the archaeologist. In the medieval period, water was not only needed for domestic use; it also provided an important source of power for the mills and tanneries and this demanded considerable feats of engineering.

New Carmarthen was supplied by medieval watercourses or leats leading off the Wynveth and Tawelan brooks. The many mills and associated water features supplied by these leats are likely to survive as buried archaeological remains.

Historically, domestic water supply, such as it existed, was provided by wells dug down to the fluctuating water table and town conduits, remembered in names like 'Conduit Lane'. The Cwmoernant reservoirs are a reminder of more recent attempts to regularise the domestic water supply.

Llyfr Du Caerfyrddin

Mae dogfennau ysgrifenedig cynnar yn rhoi dealltwriaeth gyfoethog i ni o iaith, diwylliant a hanes cymdeithasol. Mae Llyfr Du Caerfyrddin, a elwir felly oherwydd lliw ei rwymiad, yn un o'r llawysgrifau pwysicaf sydd wedi goroesi yn y Gymraeg, ac fe'i ceidw erbyn hyn yn Llyfrgell Genedlaethol Cymru. Fe'i ysgrifennwyd gan un sgrifellwr ym Mhriordy Caerfyrddin tua 1250. Mae'n cynnwys cerddi crefyddol a cherddi am arwyr Prydain yr Oesoedd Tywyll. Mae nifer ohonynt â chysylltiad gyda chwedloniaeth Myrddin, a chyfeirir at Gaerfyrddin yn un o'r cerddi hefyd.

The Black Book of Carmarthen

Early written documents give a rich insight into language, culture and social history. The Black Book of Carmarthen, so called because of the colour of its binding, is one of most important surviving manuscripts in the Welsh language and is now in the National Library of Wales. It was written by a single scribe at Carmarthen Priory in about 1250. It includes both religious poems and poems about the heroes of Dark Age Britain. These include several connected with the legend of Myrddin (Merlin). Carmarthen itself is mentioned in one of the poems.

A page from the Black Book of Carmarthen. Reproduced with the permission of the National Library of Wales.

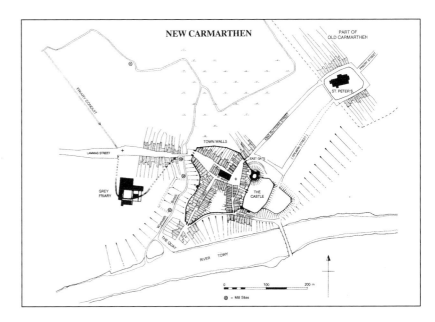

Caerfyrddin Newydd yn 1300.

New Carmarthen in 1300.

Tudalen o Lyfr Du Caerfyrddin. Ail-grewyd trwy ganiatâd Llyfrgell Genedlaethol Cymru.

CAERFYRDDIN NEWYDD

Datblygodd Caerfyrddin Newydd, oedd yn Eingl-Normanaidd ei chymeriad, yng nghysgod y castell. Roedd yr anheddwyr newydd yn rheoli'r marchnadoedd ac yn preswylio mewn adeiladau hir a chul neu safleoedd bwrdais yn edrych allan dros y prif heolydd. Erbyn 1300 roedd 286 o fwrdeisiaid yn y Gaerfyrddin Newydd.

Dengys dogfennaeth gynnar wybodaeth am ehangder y dref yn y 13eg ganrif (gweler dudalen 15). Mae arolwg o 1268 yn rhestri'r bwrdeisiaid y tu mewn a'r tu allan i ardal ffiniedig y Gaerfyrddin Newydd. Mae hyn yn ein galluogi i ail-greu cynllun y dref gwreiddiol.

NEW CARMARTHEN

New Carmarthen, Anglo-Norman in character, developed in the shadow of the castle. The new settlers controlled trade and the markets and occupied long narrow properties or burgage plots fronting onto the main streets. By 1300 there were 286 burgages in New Carmarthen.

Early documents can provide information about the extent of the town in the 13th century (see page 15). A survey of 1268 lists the burgages both inside and outside the walled borough of New Carmarthen. This allows us to reconstruct the original town plan.

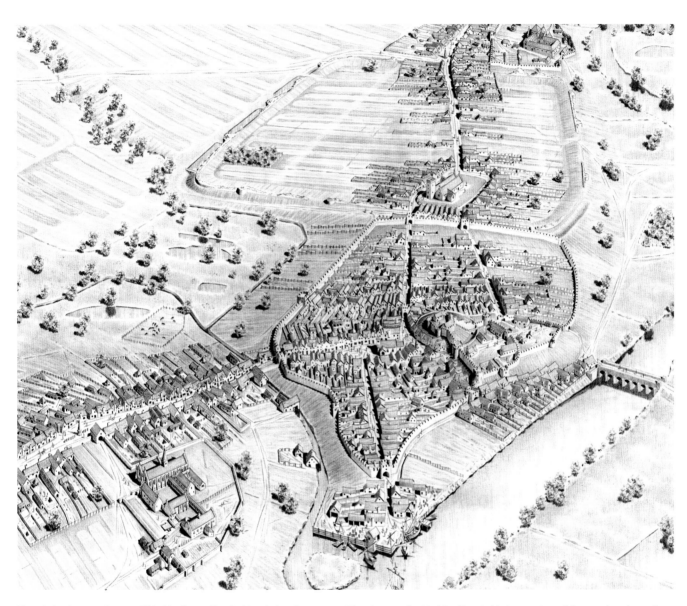

Yn y darlun hwn gwelir argraff Neil Ludlow o Gaerfyrddin o'r de-orllewin fel y gallai fod wedi ymddangos yn ystod y 15fed ganrif. Tyfodd y dref yn sylweddol yn ystod y 13eg ganrif ac roedd â mur carreg y dref yn amgylchynnu'r ardal i'r gogledd-orllewin o'r castell. Fe'i datblygwyd ymhellach i'r dwyrain yn ddiweddarach, gan gynnwys Heol y Brenin a Heol Spilman, yn bennaf o ganlyniad i wrthryfel Glyndŵr ar ddechrau'r 15fed ganrif. Mae'r darlun hefyd yn dangos datblygiad y faestref ar hyd Heol Awst, i'r gogledd o'r Brodyr Llwyd, a Chei y Dref ar waelod Stryd y Cei. Mae adeiladau pellach yn amlinellu'r stryd sy'n arwain at y bont ar draws yr Afon Tywi. Gellir gweld adfeilion amddiffynfeydd y dref Rufeinig yn hanner uchaf y darlun, gyda chlwstwr o adeiladau yn amgylchynu Eglwys San Pedr ger y glwyd orllewinol flaenorol. Gwelir darlun o ddatblygiad yr Hen Gaerfyrddin ochr yn ochr â'r Priordy canoloesol, bob ochr i'r glwyd ddwyreiniol flaenorol i'r dref Rufeinig.

Atgynhyrchir y darlun gyda chaniatâd caredig Gwasanaeth Amgueddfa Sir Gaerfyrddin.

This drawing by Neil Ludlow is his impression of Carmarthen from the southwest as it may have appeared during the fifteenth century. The town had grown rapidly during the 13th century and the stone town wall initially surrounded the area to the northwest of the castle. It was later extended to the east to include King Street and Spilman Street, largely as a result of the Glyndŵr uprising at the beginning of the 15th century. The drawing also depicts the development of a suburb along Lammas Street, to the north of the Greyfriars, and the Town Quay at the end of Quay Street. Further buildings line the road leading down to the bridge across the River Tywi. The ruined remains of the earlier Roman town defences can be seen in the top half of the drawing with a cluster of buildings around St Peter's church near to the former west gate. The development of Old Carmarthen is depicted alongside the medieval priory, either side of the former east gate to the Roman town. The drawing is reproduced with the kind permission of the Carmarthenshire County Museum Service.

1983

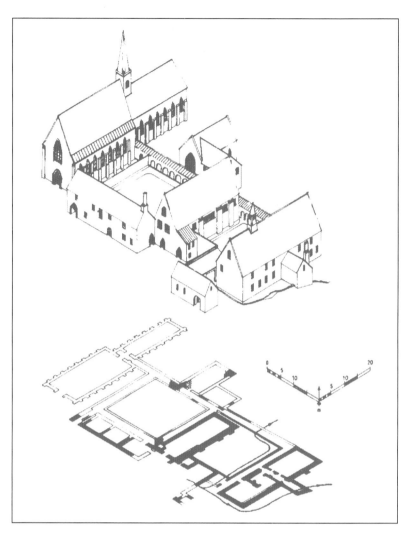

Uchod: Cloddio rhan o ffenestr yn ardal y Brodyr Llwyd, Caerfyrddin. Dde: Gweddlun o'r Tŷ y Brodyr Llwyd yn seiliedig ar gynllun tir o'r 13eg ganrif.

Above: Fragments of a window panel being excavated at Carmarthen Greyfriars. Right: Elevation drawing of the Greyfriars based on the late 13th century ground plan as revealed by the excavation.

Y BRODYR LLWYD, CAERFYRDDIN

Mae cloddfeydd archaeolegol a wnaed yn yr 1980au, cyn adeiladu Tesco a Chwrt y Brodyr Llwyd, wedi dangos tystiolaeth o'r Brodyr Llwyd Prydeinig y tu allan i Lundain. Roedd yr adeiladau o faint a safon i'w hystyried fel cyfnewidiad addas ar gyfer Eglwys Gadeiriol Tyddewi yn y 16eg ganrif. Mae'r mwyafrif o sylfeini Eglwys y Brodyr Llwyd yn parhau heb eu cloddio o dan faes parcio Heol Awst a bythynnod Parc y Brodyr. Eglwys 'golledig' arall yw un y Santes Fair, c. 1250. Mae'n bosib bod gweddillion yr Eglwys ganoloesol hon yn dal i ffurfio rhan o'r adeiladau rhwng Maes Nott a Neuadd y Dref.

CARMARTHEN GREYFRIARS

Archaeological excavations during the 1980s in advance of the construction of Tesco Stores and Greyfriars Court revealed evidence of the largest recorded British Greyfriary outside London. The buildings were of a size and quality to be considered as a suitable replacement for St David's Cathedral in the 16th century. Most of the foundations of the Greyfriars' church remain unexcavated below the Lammas Street Car Park and Friars' Park cottages. Another 'lost' church is that of St Mary's founded around 1250. It is probable that remains of this medieval church still form part of the fabric of buildings between Nott Square and the Guildhall.

Y defnydd o ddogfennaeth a ffynonellau hanesyddol eraill

Gall nifer o ddelweddau a dogfennau hanesyddol, megis gweithredoedd, cofnodion gweinyddol, lluniau cynnar, printiau ac awyrluniau, ein cynorthwyo i wybod a deall am ddatblygiad, cymeriad a hanes diwydiannol a chymdeithasol y dref.

Mae enghreifftiau cynnar yn cynnwys arolygon o'r 13eg ganrif sy'n rhestru enwau dinasyddion megis 'Kyng' a 'Spilman' sydd hyd heddiw yn cael eu coffáu mewn enwau strydoedd cyfoes, er bod yr enw Cymraeg, Heol y Brenin, hefyd wedi'i ddefnyddio ers cryn amser.

Mae hyn wedi ein cynorthwyo wrth greu adluniad o gynllun Caerfyrddin Newydd (gweler y cynllun ar dudalen 12). Enghraifft ddiweddarach yw Llyfrau Archebion y Dref sy'n dyddio o ail hanner y 1500au ac sy'n darparu gwybodaeth am fasnach, gwerthiant a deddfau lleol yn y dref. Mae cofnodion o 1566 yn dangos bod 328 o gartrefi yn y dref, gydag amcangyfrif o boblogaeth o dros 2,000. Mae hyn yn golygu mai hon oedd tref fwyaf Cymru ar y pryd.

Cofnod yn dyddio o 1581 o Lyfr Archebion Dref Caerfyrddin. Sylwer ar y darlun bach o ddyn a'i gi! Atgynhyrchwyd gyda chaniatâd Gwasanaeth Archif Caerfyrddin.

An entry dating to 1581 from the Carmarthen Borough Order Book. Note the miniature drawing of a man and his dog! Reproduced by permission of the Carmarthenshire Archive Service.

The use of documents and other historical sources

Many historical documents and images – such as deeds, administration records, early photographs, prints and aerial photographs – can help us understand the development, character and economic and social history of the town.

Early examples are the 13th century surveys, listing burgess names such as 'Kyng' and 'Spilman' that are still commemorated in modern street names (although the Welsh street name, Heol y Brenin, has also been in common usage for some time). This has helped in our reconstruction of the layout of New Carmarthen (see plan on page 12). A later example is the Borough Order Books dating from the second half of the 1500s that provides details of trade, commerce and by-laws in the town. Records from 1566 show that the town had 328 households with an estimated population of over 2,000. This made it the largest town in Wales at the time.

Anaml iawn y gwelir gwrthrychau organig Caerfyrddin ganoloesol yn goroesi. Cadwyd yr esgid ganoloesol hon mewn ffos ddyfrlawn o flaen porthdy'r castell ac fe'i darganfuwyd mewn cloddiad yn 2003.

Organic objects from medieval Carmarthen rarely survive. This late medieval shoe was preserved in the waterlogged conditions of the castle ditch in front of the gatehouse when it was excavated in 2003.

CASTELL CAERFYRDDIN

Adeiladwyd y castell Normanaidd cyntaf yn Rhyd-y-gors yn 1093, tua 1km i'r de o'r dref. Adeiladwyd y castell presennol gan Harri I yn 1109 ac roedd ymysg y mwyaf trwy Gymru gyfan. Yn wreiddiol, lleolwyd y castell ar dwmpath o dir neu fwnt ffug. Yn ddiweddarach yn y 12fed ganrif, adeiladwyd mur cerrig o gwmpas brig y mwnt. Ychwanegwyd tyrrau a muriau cerrig eraill i'r castell yn ddiweddarach yn y 13eg ganrif.

Ildiodd y castell a'r dref i fyddin y gwrthryfelwr Cymraeg, Owain Glyndŵr yn 1405. Serch hynny, erbyn 1406 roedd y castell yn nwylo brenhinol unwaith eto ac adeiladwyd porthdy newydd sylweddol yn 1409. Wedi hynny, trodd y castell yn safle i garchar y sir ac yn ddiweddarach yn lleoliad i Neuadd y Sir, sydd yno heddiw.

Dros y blynyddoedd diwethaf, mae Cyngor Sir Caerfyrddin wedi rhoi cynllun ar waith i atgyfnerthu a mireinio'r castell. Cyplyswyd hyn gyda chloddiad a recordiad archaeolegol. Fe wnaed recordiad yn ystod Haf 2003 i ymchwilio i'r porthdy a'r bont dros y ffos a arferai gynnig mynedfa i Maes Nott.

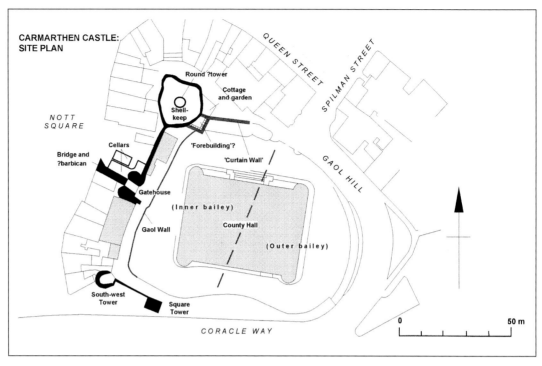

CARMARTHEN CASTLE:
SITE PLAN

QUEEN STREET

SPILMAN STREET

Round ?tower

Cottage
and garden

NOTT
SQUARE

Shell-
keep

Cellars

'Forebuilding'?

GAOL HILL

Bridge and
?barbican

'Curtain Wall'

Gatehouse

(Inner bailey)

County Hall

Gaol Wall

(Outer bailey)

South-west
Tower

Square
Tower

CORACLE WAY

0   50 m

CARMARTHEN CASTLE

The first Norman castle was built at Rhyd-y-gors in 1093, about 1km south of the town. The present castle was built by Henry I in 1109 and it was one of the largest in Wales. The castle initially centred on a massive artificial mound or motte. In the later 12th century a stone wall or 'Shell Keep' was built around the top of the motte. Further towers and stone walls were added to the castle during the 13th century.

The castle and town surrendered to the army of the Welsh rebel, Owain Glyndŵr, in 1405. However, by 1406 the castle was once again in Royal hands and a substantial new gatehouse was built in 1409. The castle later became the site of the county Gaol and finally the site of the present County Hall.

In recent years the County Council has carried out a programme of consolidation and enhancement at the castle. This has been accompanied by archaeological excavation and recording. Excavations in the summer of 2003 investigated the gatehouse and the bridge over the moat that formerly gave access to Nott Square.

Uchod o'r chwith i'r dde: Llun dyfrlliw o Gastell Caerfyrddin gan Mary Ellen Bagnall Oakley, c.1860. Atgynhyrchwyd gyda chaniatâd caredig Mrs Suzanne Hayes. Awyrlun o'r castell, Neuadd y Sir a chraidd y dref ganoloesol. Llun: Terry James. Cynllun o Gastell Caerfyrddin. Pwysleisir y muriau canoloesol sydd wedi goroesi mewn du, ac mae'r pinc yn adlewyrchu adeiladau cyfredol a blaenorol yr 20fed ganrif.

Above from left to right: Watercolour of Carmarthen Castle Gatehouse by Mary Ellen Bagnell Oakley, c 1860. Reproduced by kind permission of Mrs Suzanne Hayes. Aerial view of the castle, County Hall and the core of the medieval town. Photograph: Terry James. Plan of Carmarthen Castle. The surviving medieval walls are highlighted in black and the pink indicates present and former 20th century buildings.

Dde: Cloddiad o'r bont a'r ffos o flaen y porthdy yn 2003.

Right: The 2003 excavation of the bridge and ditch in front of the gatehouse.

2003

Chwith: Neuadd y Dref yn ystod yr 1920au
Below: Sêl Bwrdeistref Caerfyrddin yn y 17eg ganrif.

Left: The Guildhall during the 1920s
Below: The 17th century seal of the Borough of Carmarthen.

CAERFYRDDIN Y TUDURIAID A'R STIWARTIAID

Oherwydd Diwygiad Harri VIII cauwyd y Priordy yn 1536 a Brodyrdy yn 1539. Fe wnaeth y ddwy dref uno yn 1546 ac fe'u llywodraethwyd gan faer a chyngor cyffredinol. Fe barhaodd y dref i fod yn ganolfan farnwrol a gweinyddol wedi sefydlu sir newydd Caerfyrddin yn yr 16eg ganrif. Hefyd, fe gadarnhawyd ei rôl fel porthladd llwyddiannus ac fel canolfan ddiwydiannol a masnachol. Roedd tai newydd ar gyfer y bonedd ar hyd a lled Clos Mawr a Stryd y Cei. Daeth hon yn ffordd drwodd i gei newydd, wedi ei hadeiladu o garreg. Roedd ystordai, gweithdai ac iardiau adeiladu ar hyd ochr y dŵr.

Rhwng y 16eg ganrif a dechrau'r 18fed ganrif, Caerfyrddin oedd tref fwyaf Cymru. Dim ond yn ddiweddarach y cafodd trefi mawr diwydiannol eu datblygu yn y de-ddwyrain. Mae adeiladu cyson wedi golygu mai nifer fechan o adeiladau sy'n dyddio nôl i gyfnod y Tuduriaid neu'r Stiwartiaid yn y dref, er y gellir gweld rhai nodweddion mewn ambell fur neu seler a godwyd yn hwyrach. Yn ystod Rhyfel Cartref yr 1640au, amgaewyd y dref gyda chloddiau amddiffynnol a adnabu fel y 'Bulwarks' (yn ardal bresennol Pencadlys yr Heddlu), a'r rheiny yw'r enghreifftiau gorau o wrthgloddiau trefol sydd wedi goroesi ers y Rhyfel Cartref ym Mhrydain gyfan.

Mae Neuadd y Dref yn dyddio yn ôl i o leiaf yr 16eg ganrif, er bod rhan o'r adeilad presennol sy'n rhannol ar safle blaenorol Eglwys y Santes Fair wedi ei chwblhau yn 1777.

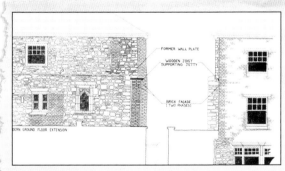

Rhoddwyd ffenest hardd o'r oesoedd canol, oedd efallai wedi dod yn wreiddiol o'r castell, i mewn i wal yn ochr yr 'Angel Vaults' ar Faes Nott. O edrych yn fanwl, gwelir mai adeilad gloywddu oedd hwn i gychwyn, ac iddo gael ei adnewyddu ar sawl achlysur. Darlun gan Craig Wood.

A fine medieval window, perhaps originally from the castle, was inserted into the side-wall of the Angel Vaults on Nott Square. A careful examination shows that this building started life as a jettied building and was remodelled on several occasions. Drawing by Craig Wood.

TUDOR AND STUART CARMARTHEN

Henry VIII's Reformation forced the closure of both the Priory (in 1536) and Friary (in 1539). The two towns were amalgamated in 1546 and were governed by a mayor and a common council. After the establishment of the new county of Carmarthenshire in the 16th century, the town continued its role as a judicial and administrative centre. It also consolidated its role as a thriving port and centre of trade and manufacture. New houses for the gentry lined Guildhall Square, Nott Square and Quay Street. This became a busy thoroughfare to a new quay, now built in stone. The waterfront contained warehouses, workshops and building yards.

From the 16th century to the early 18th century Carmarthen was the largest town in Wales. It was only later overtaken by the new industrial towns of the southeast. Constant rebuilding has meant that there are few buildings of Tudor or Stuart date in the town, although fragments can sometimes be identified in later walls or cellars. During the Civil War in the 1640s, the town was enclosed by new earthwork defences. Known as 'The Bulwarks' (in the area of the current Police HQ), they are the best surviving examples of Royalist Civil War town

fortification in Britain. The Guildhall dates from at least the 16th century, although the current building, partly on the site of the former church of St Mary, was completed in 1777.

Gweddillion cloddiau amddiffynnol y Rhyfel Cartref – y Bulwarks.
Llun: Ray Edgar

The earthwork remains of the Civil War defences – the Bulwarks.
Photograph: Ray Edgar

Adeiladau - Seleri a Llofftydd

Mae ymchwil ar adeiladau sy'n dal i sefyll yn bwysig er mwyn gwella ein dealltwriaeth am hanes cynnar Caerfyrddin. Yn aml, fe adlewyrchir sawl cyfnod o hanes mewn un adeilad gan fod pethau wedi cael eu hychwanegu iddo dros amser. Gellir gweld nodweddion canoloesol neu ôl-ganoloesol cynnar ar adeiladau a adnewyddwyd yn sylweddol yn ddiweddarach. Mae ymchwil i seleri a llofftydd yn hanfodol, gan fod rhai o ddeunyddiau gwreiddiol yr adeilad yn gadwedig yno.

Buildings - Cellars and lofts

The study of standing buildings has an important role to play in improving our understanding of the early history of Carmarthen. Often several periods of history are represented in a single building as additions are made over time. Surviving medieval or early post-medieval features can often be seen in buildings that have been substantially altered in later years. Of particular importance is a study of the cellars and lofts that often preserve some of the earliest fabric of a building.

2003

Wrth wagio'r seleri yn yr hen Swan Inn ar Sgwâr Nott yn ddiweddar, darganfuwyd tystiolaeth o bont ganoloesol a sarn oedd yn croesi'r ffos o flaen porthdy'r castell.

The recent clearance of the cellars of the former Swan Inn on Nott Square revealed evidence of the medieval bridge and causeway that crossed the ditch in front of the Castle's gatehouse.

Chwith pellaf: Tai Sioraidd yn Heol y Cei.
Uchod: Neuadd y Sir.
Dde pellaf: Rheilins yn Heol Awst.

Top left: Georgian town houses in Quay Street.
Top right: The County Hall.
Left: Railings in Lammas Street.

Chwith: Capel Saesneg y Bedyddwyr yn Heol Awst a agorwyd yn 1870.

Left: The English Baptist Chapel in Lammas Street opened in 1870

Y 250 MLYNEDD DDIWETHAF

Mae'r rhan helaeth o dreftadaeth adeiladol Caerfyrddin yn dyddio o'r 18fed ganrif ymlaen, ac yn adlewyrchu datblygiad eang y dref dros y 250 mlynedd. Adlewyrchir arferion pensaernïol, yn cynnwys rhai Sioraidd, Rhaglywiaeth (Regency), Oes Fictoria, Edwardaidd a'r 20fed ganrif gan y strydoedd ac adeiladau newydd.

Roedd rhannau o ddwyrain Caerfyrddin rhywfaint yn fwy diwydiannol eu cymeriad, ac adeiladwyd ffwrnais chwyth a melin dun ger safle'r hen Briordy yng nghanol y 18fed ganrif. Ychwanegiadau diweddar eraill i'r treflun yw adeiladau cyhoeddus newydd megis Neuadd y Sir bresennol, a gynlluniwyd gan Syr Percy Thomas ac a adeiladwyd ar safle Castell Caerfyrddin. Mae'r nifer o gapeli ac ysgolion, ynghyd â safon a niferoedd y rheilins haearn hefyd yn ychwanegu at gymeriad unigryw treflun Caerfyrddin.

Ffotograffau: Ray Edgar Photography: Ray Edgar

Chwith: Ysgol Genedlaethol Heol y Prior a adeiladwyd yn 1869 sydd bellach yn cael ei defnyddio fel stiwdio leol y BBC.
Isod: Yr Eglwys Annibynnol Saesneg yn Heol Awst a agorwyd yn 1862.
Chwith pellaf: Y clwydi haearn a'r rheilins wrth fynedfa Furnace House, cyn-gartref y Meistr Haearn Robert Morgan. Fe'i adeiladwyd yn 1761 ac fe'i defnyddir erbyn hyn fel Llyfrgell y Sir.

Left: The Priory Street National School built in 1869 and now used as the local BBC studios.
Below: The English Congregational Church in Lammas Street opened in 1862.
Far left: The iron entrance gates and railings of Furnace House, former home of the Iron Master Robert Morgan. It was built in 1761 and is now used as the County Library.

THE LAST 250 YEARS

The built heritage of Carmarthen largely dates from the late 18th century onwards, reflecting the rapid expansion of the town over the past 250 years. New architectural styles, including Georgian, Regency, Victorian, Edwardian and 20th century are represented by new streets and buildings.

Parts of east Carmarthen took on a more industrial character with a blast furnace and tin mills built near the site of the old Priory in the mid 18th century. Other recent additions to the townscape are new public buildings, such as the present County Hall, designed by Sir Percy Thomas and built on the site of Carmarthen Castle. The many chapels and schools and the quality and quantity of iron railings from the town's foundries also add to the unique character of Carmarthen's townscape.

Mapiau Hanesyddol

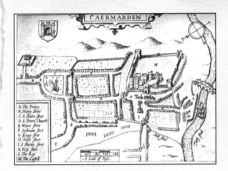

Mae mapiau a chynlluniau hanesyddol yn ffynonellau gwybodaeth gwerthfawr sy'n gallu cynorthwyo i esbonio sut mae trefi wedi tyfu a newid dros y blynyddoedd. Rydym yn ffodus iawn i gael mapiau manwl yn dyddio yn ôl i'r 17eg ganrif o Gaerfyrddin. Er enghraifft, mae map Speed o 1610 yn rhoi syniad amhrisiadwy o'r dref ganoloesol i ni. Dengys y castell, y bont a lleoliad muriau'r dref a'r clwydi.

Mae'r map hwn gan Thomas Lewis o 1786 yn dangos ardal y dref Rufeinig cyn datblygiadau'r 19eg ganrif. Fe'i atgynhyrchwyd gyda chaniatâd y Dowager Countess Cawdor a Gwasanaeth Archif Sir Gaerfyrddin.

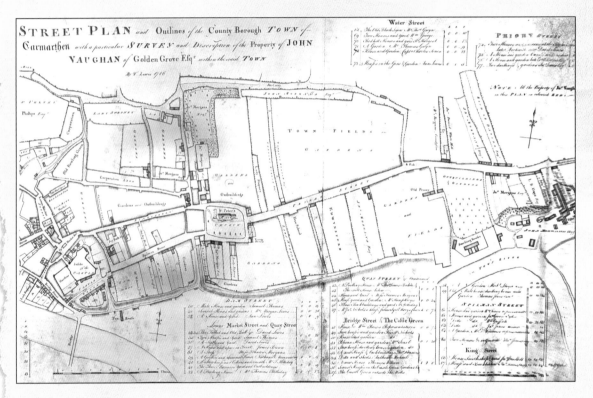

Historic Maps

Historic maps and plans are valuable sources of information that can help to explain the way in which towns grow and change through time. For Carmarthen, we are very fortunate to have detailed maps dating from the early 17th century.

For example Speed's map of 1610 (top) gives us an invaluable glimpse of the layout of the post medieval town. It shows the castle, the bridge and the position of the town walls and town gates.

The map of 1786, by Thomas Lewis (above), shows the area of the Roman town before 19th century development.

This is reproduced by permission of the Dowager Countess Cawdor and the Carmarthenshire Archive Service.

Chwith: Y rheiliau o flaen Capel Saesneg y Bedyddwyr yn Heol Awst.
Uchod: Y gofgolofn ryfel o flaen y Neuadd y Dref.
Uchod chwith: Tai o'r bedwaredd ganrif ar bymtheg yn Heol y Gwyddau gydag adeilad un llawr ar y pen a gafodd ei ddymchwel yn 1980.
Dde: Tai teras yn Heol Awst.

Far left: The railings in front of the English Baptist Chapel in Lammas Street.
Centre: The war memorial in front of the Guildhall.
Above left: Nineteenth century housing in St Catherine Street ending in a single storey building demolished in 1980.
Above: Terraced housing in Lammas Street.

Er bod priodweddau ffisegol y dref wedi tyfu dros y blynyddoedd diweddar, nid yw poblogaeth Caerfyrddin wedi tyfu'n sylweddol. Tybir bod hyn o ganlyniad i'r ffaith bod ystadau tai ar gyrion y dref a adeiladwyd yn yr ugeinfed ganrif wedi cymryd lle'r cyrtiau a'r strydoedd poblog yng nghanol y dref. Dim ond ardaloedd bychain o gartrefi'r dosbarth gweithiol o'r 18fed a'r 19eg ganrif sydd wedi eu cadw, megis yn ardal Heol y Gwyddau. Yn sgil hyn, mae cymeriad Caerfyrddin yn newid yn barhaus. Mae enghraifft arall o'r broses hon wedi dod yn sgil yr angen am ffordd i osgoi strydoedd cul a phrysur yr ardal graidd ganoloesol. Mae'r holl ddatblygiadau hyn wedi gadael eu marc ar wead hanesyddol bregus y dref. Rhaid i'r angen am newid fod yn gytbwys â'r angen i ddiogelu'r ffactorau arbennig sy'n nodweddiadol o gymeriad unigryw'r dref.

Although the physical extent of the town has grown in recent years, its population has not increased significantly. This is because the crowded 'courts' and terraces in the central areas have now been largely replaced by 20th century housing estates in the outer parts of the town. Only small areas of the former 18th and 19th century working class housing have been preserved; for example in the area around St Catherine Street. In this way the character of Carmarthen is constantly changing. Another example of this process has resulted from the need to bypass the narrow congested streets of the medieval core. These developments all leave their mark on the fragile historic fabric of the town. The need for change has to be balanced with the need to protect elements of the town's distinctive character.

Ffotograffau: Ray Edgar **Photographs:** *Ray Edgar*

Cynllun y Dref

Gall cynllun y dref, sef lleoliad ei strydoedd, mannau agored a ffiniau adeiladau, ddweud wrthym am y modd mae'r dref wedi tyfu a newid dros y canrifoedd. Gellir ei ddarllen fel dogfen hanesyddol sy'n darparu cliwiau am nodweddion unigryw tref. Er enghraifft, mae nifer o nodweddion Caerfyrddin ganoloesol, megis y ffiniau adeiladau gwreiddiol sy'n diffinio'r safleoedd bwrdais canoloesol, wedi ei ffosileiddio yn y cynllun stryd cyfoes. Mae cynllun y dref wedi dod yn brif etifeddiaeth hanesyddol i orffennol Caerfyrddin. Wrth gymharu mapiau hanesyddol (gweler tudalen 19) gyda chynllun tref gyfoes, gellir datblygu llun o'r newid a'r parhad yn natblygiad hanesyddol Caerfyrddin.

Map yn dangos datblygiad hanesyddol Caerfyrddin yn gorchuddio'r cynllun stryd cyfoes.

Map showing the historical growth of Carmarthen overlying over the modern town plan.

Maint y dref yn
Extent of town in:

- **1300**
- **1500**
- **1786**
- **1888**

Maint y dref bresennol:
Current extent of town

The Town Plan

The town plan - the position of its streets, open spaces and property boundaries - can often tell us about the way in which a town has grown and changed over the centuries. It can be 'read' like an historic document to provide clues about the unique characteristics of a town. For example, many of the features of medieval Carmarthen, such as the original property boundaries defining the medieval burgage plots, have become 'fossilised' in the modern street plan. The town plan has effectively become the principal historic legacy of Carmarthen's past. By comparing historic maps (see page 18) with the modern town plan a picture can emerge of both change and continuity in the historical development of Carmarthen.

Map: Ray Edgar

Y cei ar ddechrau'r 20fed ganrif.

The quay in the early 20th century.

PORTHLADD CAERFYRDDIN
THE PORT OF CARMARTHEN

Er nad oes tystiolaeth archaeolegol benodol fel prawf, rydym bron yn siŵr mai porthladd oedd Caerfyrddin Rufeinig. Gan nad oes gwaith archaeolegol wedi ei wneud ger glanfa'r dŵr, yr unig dystiolaeth sy'n profi bod Caerfyrddin wedi bod yn borthladd llwyddiannus yn ystod y cyfnod canoloesol yw'r wybodaeth a ddeillia o ddogfennaeth hanesyddol ac arteffactau sydd wedi goroesi. Byddai mynediad i longau mawr i'r porthladd wedi ei gyfyngu, ac fe fyddai'n ddibynnol ar y llanw uchel a ddeuai bob pythefnos.

Roedd y cei canoloesol, a'r cei Rhufeinig hefyd o bosib wedi eu canoli ar 'Yr Ynys', lle roedd nant y Wynveth yn cyrraedd yr Afon Tywi. Defnyddiwyd glannau'r afon yn yr ardal hon ar gyfer adeiladu cychod ac i storio deunyddiau. Yn 1808 fe estynnwyd y cei hyd at y bont.

Mae'n drasiedi bod y rhan helaeth o'r ardal hon wedi cael ei glirio yn ystod y 1960au a'r 1970au ar gyfer priffordd newydd, Ffordd y Cwrwg, a gorsaf bwmpio carthffosiaeth, heb i unrhyw ymchwil archaeolegol gael ei wneud yno. Serch hynny, mae'n bosib bod tystiolaeth sylweddol ar gyfer y cei coed a gweddillion eraill o hanes glan môr Caerfyrddin wedi goroesi yn ardal glannau'r dŵr.

Although there is no direct archaeological evidence, it is almost certain that Roman Carmarthen was a port. Because there has been no archaeological work in the area of the waterfront, the only proof that Carmarthen was a thriving port in the Medieval period has come from historic documents and surviving artefacts. Access to the port for the largest vessels would always have been restricted and dependent upon the fortnightly high tide.

The medieval and possible Roman quays were centred on the 'The Island', where the Wynveth Brook flowed into the Tywi. The riverbanks downstream of this area were used for ship-building and storage. In 1808 the quay was extended right up to the bridge.

It is a tragedy that much of this area was cleared in the 1960s and 1970s for a new trunk road, Coracle Way, and sewage pumping station, without any archaeological recording. Nevertheless, there is still a possibility that significant evidence for the timber quays and other early remains of Carmarthen's maritime history survive in the area of the waterfront.

Wrth greu gorsaf bwmpio carthffosiaeth yn 1976, dinistriwyd rhan o'r porthladd canoloesol a hwyrach heb i unrhyw ymchwiliad archaeolegol ei wneud yno. Erbyn hyn, ceir ymwybyddiaeth ehangach o'r angen i ddiogelu a chofnodi gweddillion bregus gorffennol Caerfyrddin. Gyda chefnogaeth Archaeoleg Cambria, mae Adran Gynllunio Cyngor Sir Caerfyrddin nawr yn ystyried effeithiau archaeolegol a hanesyddol posib pob cais cynllunio sy'n dod i law.

During the construction of a sewage pumping station in 1976, the 'hub' of the medieval and later port was destroyed without any archaeological investigation. There is now a greater awareness of the need to protect and record the fragile remains of Carmarthen's past. With the support of Cambria Archaeology, the Planning Department of Carmarthenshire County Council now carefully consider the potential archaeological and historical impact of every planning application.

DIOGELU GORFFENNOL CAERFYRDDIN
PROTECTING CARMARTHEN'S PAST

Mae nifer o ardaloedd a safleoedd hanesyddol cloddedig Caerfyrddin wedi cael eu rhestri gan Cadw fel Cofadeiliau Hynafol, sy'n eu hamddiffyn yn gyfreithiol rhag difrod a dinistr. Mae'r safleoedd hyn yn cynnwys rhannau helaeth o'r dref Rufeinig sy'n gadwedig o dan ardaloedd agored o faes pêl-droed Parc Richmond a maes parcio San Pedr. Ymhlith y safleoedd rhestredig eraill mae'r amffitheatr Rhufeinig, y Castell, safle'r Priordy a'r amddiffynfeydd sydd wedi goroesi ers y Rhyfel Cartref. Yn ogystal, mae 420 o adeiladau rhestredig yng Nghaerfyrddin ar hyn o bryd. Rhaid derbyn caniatâd arbennig ar gyfer unrhyw geisiadau i newid neu ychwanegu at adeiladau rhestredig, a dim ond ar achlysuron hynod o arbennig y dyfernir caniatâd i ddymchwel adeiladau o'r fath. Ceir hefyd 10 Ardal Gadwraethol yng Nghaerfyrddin, sydd wedi eu penodi er mwyn cadw a phwysleisio cymeriad y rhannau yma o'r dref.

Yn ychwanegol at y safleoedd rhestredig, mae Cofnod Hanes Amgylcheddol de-orllewin Cymru, a gedwir gan Archaeoleg Cambria, yn cynnwys dros 800 o gofnodion ar gyfer Caerfyrddin. Mae'r gronfa wybodaeth hon yn sail i'r cyngor mae Archaeoleg Cambria yn rhoi i'r Awdurdod Cynllunio Lleol a goblygiadau archaeolegol y ceisiadau cynllunio a chynigion datblygu a ddaw i law. Gellir cael mynediad cyhoeddus i'r Cofnod Hanes Amgylcheddol yn swyddfeydd Archaeoleg Cambria yn Llandeilo.

Many buried historic areas and sites in Carmarthen have been scheduled by Cadw as Ancient Monuments giving them legal protection from damage or destruction. These sites include large parts of the Roman town that are preserved beneath the open spaces of Richmond Park football ground and St Peter's car park. Other scheduled sites include the Roman amphitheatre, the Castle, the site of the Priory and the surviving Civil War defences. In addition there are currently 420 listed buildings in Carmarthen. Special consent needs to be sought for proposals to alter or extend listed buildings and any consent for demolition would only be granted in very exceptional circumstances. There are also 10 Conservation Areas in Carmarthen, designated for the preservation and enhancement of the character of those parts of the town.

In addition to the scheduled and listed sites, the Historic Environment Record (HER) for southwest Wales, maintained by Cambria Archaeology, includes over 800 entries for Carmarthen. This database of information forms the basis of the advice provided by Cambria Archaeology to the Local Planning Authority on the archaeological implications of planning applications and development proposals. The Historic Environment Record is available for public consultation at the offices of Cambria Archaeology in Llandeilo.

Arolwg Hanesyddol Tref Caerfyrddin

Mae'r prosiect hwn wedi casglu ynghyd yr holl ddealltwriaeth bresennol am ddatblygiad hanesyddol Caerfyrddin. Fe'i gwnaed gan Archaeoleg Cambria yn ystod 2004 a 2005 ac fe'i ariannwyd ar y cyd rhwng Cyngor Sir Caerfyrddin a Cadw. Nod cyffredinol y prosiect oedd darparu fframwaith ar gyfer datblygiad cynaliadwy o fewn amgylchedd hanesyddol y dref, ac yn arbennig er mwyn cynorthwyo i ddiogelu cadwraeth gweddillion archaeolegol anadnewyddadwy yn y dyfodol.

Fel rhan o Arolwg Hanesyddol Tref Caerfyrddin, ychwanegwyd manylion a disgrifiadau newydd at y cofnodion sy'n berthnasol i'r dref yn y Cofnod Hanes Amgylcheddol. Crëwyd System Wybodaeth Ddaearyddol sy'n cyfuno topograffeg, hanes sefydlogi, cofadeiliau rhestredig, ardaloedd o gymeriad trefol ac arweiniad cynllunio, mewn cronfa ddata map-seiliedig gynhwysfawr. Diffiniwyd ardaloedd o gymeriad hanesyddol

sy'n darparu manylion am hanes a phrosesau datblygu sydd wedi digwydd mewn ardaloedd penodol o'r dref. Maent hefyd yn darparu syniad i ni o lle mae tystiolaeth hanesyddol am y dref wedi goroesi o dan, ac ar wyneb y tir. Defnyddir yr holl wybodaeth yma ar gyfer cyngor cynllunio yn y dyfodol.

Un o'r ardaloedd Cymeriad Hanesyddol Trefol a ddiffiniwyd yn ystod Arolwg Tref Caerfyrddin. Mae'n dangos cofnodion o'r Cofnod Hanes Amgylcheddol, ymchwiliadau archaeolegol, adeiladau rhestredig a Chofadeiliau Rhestredig Hynafol.

One of the Urban Historic Character Areas defined during the Carmarthen Town Survey. It shows HER entries, archaeological investigations, listed buildings and Scheduled Ancient Monuments.

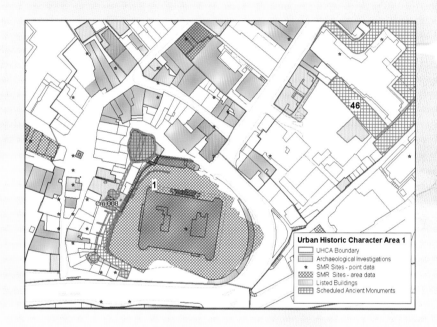

Urban Historic Character Area 1
- UHCA Boundary
- Archaeological Investigations
- SMR Sites - point data
- SMR Sites - area data
- Listed Buildings
- Scheduled Ancient Monuments

The Carmarthen Historic Town Survey

This project brought together the current understanding of the historical development of Carmarthen. It was undertaken by Cambria Archaeology in 2004 and 2005 and it was jointly funded by Carmarthenshire County Council and Cadw. The project's overall objective was to provide a framework for sustainable development within the town's historic environment and in particular to help secure the future

preservation of irreplaceable archaeological remains.

As part of the Carmarthen Historic Town Survey, the Historic Environment Records relating to the town were enhanced with new details and descriptions. A Geographic Information System (GIS) has been created which combines topography, settlement history, listed and scheduled monuments, urban character areas and planning

guidance, in a comprehensive map-based database. Historic Character Areas were defined that provide details of the history and development processes that have taken place in specific areas of the town. They also provide an indication of where important above and below ground evidence for the history of the town still survives. All this information will inform future planning advice.

Am wybodaeth ar Gofnod Amgylcheddol Hanesyddol a chyngor ar archaeoleg a materion cynllunio, cysylltwch â:

> Archaeoleg Cambria
> Neuadd y Sir
> Stryd Caerfyrddin
> Llandeilo
> Sir Gaerfyrddin SA19 6AF
> Ffôn. 01558 823121
> www.cambria.org.uk

Am wybodaeth a chyngor ar Hen Gofadeiliau Rhestredig cysylltwch â:

> Cadw
> Plas Carew
> Uned 5/7 Cefn Coed
> Parc Nantgarw
> Caerdydd CF15 7QQ
> Ffôn. 01443 336000
> www.cadw.wales.gov.uk

Am wybodaeth ar Adeiladau Rhestredig neu reoli datblygu, cysylltwch â:

> Adran Gynllunio Cyngor Sir Caerfyrddin
> 40, Heol Spilman
> Caerfyrddin SA31 1LQ
> Ffôn. 01267 224473

Darllen pellach:

• Heather James 2003 *Roman Carmarthen, Excavations 1978-1993*, Britannia Cyfres Monograph rhif 20.
• Terrence James 1980 *Carmarthen: an archaeological and topographical survey*, Carmarthenshire Antiquarian Society Monograph Cyfres Rhif 2.
• Joyce a Victor Lodwick 1994 *The story of Carmarthen* (new edition), Gwasg St Peter's, Caerfyrddin.

Gyferbyn: Ysgythriad David Cox yn 1830 yn dangos ardal y Cei yng Nghaerfyrddin.
Clawr Cefn: Cei Caerfyrddin a'r Bont. Ni wyddir y dyddiad na phwy yw'r arlunydd.

Yn garedig iawn wnaeth Heather a Terry James gynnig sylwadau ar y testun a chynorthwyo i ddod o hyd i lawer o'r darluniau

For Historic Environment Record information and advice on archaeology and planning issues please contact:

> Cambria Archaeology
> The Shire Hall
> Carmarthen Street
> Llandeilo
> Carmarthenshire SA19 6AF
> Tel. 01558 823121
> www.cambria.org.uk

For information and advice on Scheduled Ancient Monuments please contact:

> Cadw
> Plas Carew
> Unit 5/7 Cefn Coed
> Parc Nantgarw
> Cardiff CF15 7QQ
> Tel. 01443 336000
> www.cadw.wales.gov.uk

For information on Listed Buildings, Conservation Areas or development control please contact:

> Carmarthenshire County Council's
> Planning Division
> 40, Spilman Street
> Carmarthen SA31 1LQ
> Tel. 01267 224473

Further reading:

• Heather James 2003 *Roman Carmarthen, Excavations 1978-1993*, Britannia Monograph Series no 20.
• Terrence James 1980 *Carmarthen: an archaeological and topographical survey*, Carmarthenshire Ant iquarian Society Monograph Series No 2.
• Joyce and Victor Lodwick 1994 *The story of Carmarthen (new edition)*, St Peter's Press, Carmarthen.

Opposite: David Cox's engraving of 1830 showing the area of Carmarthen Quay.
Back cover: Carmarthen Quay and Bridge. Date and artist unknown.

Heather and Terry James kindly provided comments on the text and assisted with the sourcing of many of the illustrations.